DOJRZEWANIE

O czym chłopcy muszą wiedzieć?

Alex Frith

Ilustracje Adam Larkum

Rysunki Neil Francis
Opracowanie Susan Meredith

Konsultanci: Dr Jeremy Kirk,
Revd Professor Michael J. Reiss & Katie Kirk, RSCN, RHV

Spis treści

Wzrastanie

Rosłeś od urodzenia, kroczek po kroczku. W pewnym momencie zacząłeś rosnąć znacznie szybciej, a oprócz tego pojawiły się zmiany innego typu. Nastąpiło przekształcanie się dziecka w człowieka dorosłego. Książeczka omawia wszystkie zachodzące w tym okresie przemiany.

Zauważyłeś, że niektóre z nich istniały już od pewnego czasu albo jeszcze się dotąd nie ujawniły. Nie pojawiają się one u każdego w tym samym czasie i nie można z góry ściśle określić, kiedy to nastąpi u ciebie. Po przeczytaniu kilku stron tej książeczki zorientujesz się, czego oczekiwać i kiedy.

Będziesz się spodziewać nadal rośnięcia wzwyż, ale przeczuwałeś, że coś nowego pojawi się jeszcze. Nie przejmuj się. Zmiany następują stopniowo i masz dużo czasu, żeby się z nimi oswoić.

Ta nowa faza życia nazywa się dojrzewaniem, a zmiany dotyczą głównie spraw płci. Czynność i budowa narządów płciowych umożliwiają powstanie dzidziusia. Wielu ludzi krępuje się rozmawiać o tym, zwłaszcza z dziećmi. Nie martw się. Książeczka objaśni i to.

Wzrastanie jest łatwiejsze, jeżeli dbasz o siebie. Przy końcu książeczki znajdziesz rady, jak to osiągnąć. Mowa tam o właściwym odżywianiu, a także korzystaniu z gimnastyki i ruchu.

Kiedy to nastąpi?

Większość chłopców dostrzega pierwsze objawy dojrzewania
w wieku 12–13 lat. Niektórzy jednak widzą je już przed
10. rokiem życia, inni zaś dopiero około 16. roku. Przemiany
zwykle są ukończone około 18. roku życia, ale czasem zdarza
się to nieco później.

Ten sam wiek, ale etap inny

Jestem najwyższy,
ale jeszcze nie mam
włosów łonowych.
Co jest?

Ostatniej nocy miałem
nieprzyzwoity sen.

Pojawiło
się
za wiele
włosów
na moim ciele.

Kiedy będę
silniejszy?

Prawidłowe jest, że u ciebie rozwój następuje w innym czasie
niż u twoich kolegów. Nie ma znaczenia, że jesteś najstarszy
w klasie albo najwyższy, albo najwięcej jadasz. Dojrzewanie
chłopca następuje dopiero wtedy, gdy organizm jest do tego
przygotowany. Może to krępować ucznia, który pierwszy
w klasie dojrzał, albo rozczarowywać tego, który dojrzał ostatni.
Następuje to w końcu u każdego z identycznym skutkiem.

Organizm potrzebuje energii, aby sprostać przemianom.
Nie obawiaj się niewielkiego przyrostu wagi. W tym wieku
jest to normalne.

Co następnie?

Już rozumiesz, co cię czeka, poznaj więc spodziewane objawy. Przeważnie niektóre pojawiają się w różnym czasie albo jednocześnie, niekoniecznie jednak w przedstawionym porządku.

Będziesz rósł wzwyż i wszerz.
Wydłuży ci się twarz.
Pojawią się włosy w jeszcze innych miejscach niż dotąd.
Obniży ci się głos.
Będziesz się bardziej pocił, a twój pot będzie miał ostry zapach.
Powiększy się prącie i jądra.
Zacznie się wytwarzać nasienie.
Pojawi się łojowy trądzik, włosy i skóra będą przetłuszczone.

Niektóre objawy są oczywiste i nie można ich ukryć, nawet gdybyś chciał. Możesz jednak dowiedzieć się o nich, gdy uwagę zwrócą ci na nie koledzy.

Czuję przykry zapach. Kup sobie dezodorant!

Przekształcenie się w mężczyznę

Opisane zmiany mogą przypominać cechy dorosłego mężczyzny, ale trzeba kilku lat, abyś był traktowany jak on. Wiele państw uznaje młodego człowieka za dorosłego po 18. urodzinach, mimo że on sam czuje się nim znacznie wcześniej. Dorosły wygląd nie oznacza dorosłego umysłu!

Wyższy i silniejszy

„Ale urosłeś!". Prawdopodobnie powtarzają to ciocie
i wujkowie tym częściej, im bliższy jest okres dojrzewania.
Rośnięcie wzwyż jest cechą najbardziej zwracającą uwagę.
Może ono zaczynać się zupełnie nagle.

Kolejna część
garderoby
za ciasna.
Nowy wydatek...

Zryw w wzwyż

Chłopcy przeważnie rosną najszybciej około 14. roku życia,
ale wysocy bywają także już trochę młodsi albo starsi.
W ciągu jednego roku chłopcu przybywa 7–12 cm.
Inni koledzy rosną wolniej. Jeżeli nagłe rośnięcie nastąpi
wcześnie, wzrost zwalnia w młodym wieku. Jeżeli jednak
zaczyna się później, to i tak można zrównać się z tymi,
którzy zaczęli rosnąć wcześnie, albo ich nawet przeskoczyć.
   Tak, jesteś już wysoki. Twoje kości, mięśnie i narządy
wewnętrzne powiększyły się także. Szczególnie rozrastają się
barki. Wyglądasz silniej i bardziej proporcjonalnie
do twojego wzrostu. Wzrastanie może trwać nieco ponad
20. rok życia.

Zabawny wygląd

Ręce i stopy wielu chłopców rosną wcześniej niż ramiona, nogi i reszta ciała. Dlatego możesz pomyśleć, że jesteś „nieudany". Nos i żuchwa się zmieniają. Zanim wszystko się wyrówna, możesz wyobrazić sobie, że twarz sprawia wrażenie niesamowite. Ludzie postronni dostrzegają w twoim wyglądzie mniej dysproporcji niż ty sam.

Masywne mięśnie

Siłę i wzrost w znacznym stopniu dziedziczysz po rodzicach. Oznacza to, że niektórzy chłopcy są z natury silniejsi niż inni, ponieważ ich kości i mięśnie rosną szybciej. Nie wszystko jednak zależy od dziedziczenia. Dlatego każdy musi się odżywiać zdrowo i codziennie trochę się gimnastykować.

Piersi

Stań na chwilę – czy nie przydarza ci się to samo, co dziewczynkom? Tak, istotnie. U połowy chłopców rozwijają się nieznacznie wrażliwe na dotyk piersi. Nie oznacza to, że przekształcasz się w dziewczynę! Powiększenie piersi zniknie, kiedy bardziej urośniesz.

Zmiana głosu (mutacja)

Na wysokości w połowie szyi znajduje się krtań. Jest ona nadajnikiem głosu. W ciągu kilku lat krtań się stale powiększa, a jej kształt nieznacznie zmienia. Dziecko zaczyna mówić głosem dorosłego.

Pod wpływem wydychanego powietrza wydajesz dźwięki za pomocą fałd głosowych.

Fałdy głosowe powiększają się wraz z całą krtanią. W ten sposób ton twoich słów się obniża (bas).

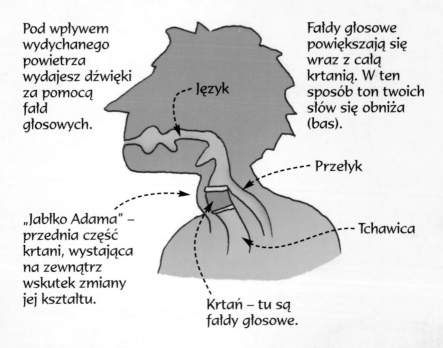

Język

Przełyk

„Jabłko Adama" – przednia część krtani, wystająca na zewnątrz wskutek zmiany jej kształtu.

Tchawica

Krtań – tu są fałdy głosowe.

Mutacja

Kiedy ktoś ci powie, że zmienia się twój głos, oznacza to, że jego ton się obniża. Nie można ściśle określić momentu występowania mutacji. W okresie przejściowym możesz mieć głos z wyższym lub niższym tonem. Po zakończeniu mutacji ta zmiana jest niemożliwa i stale będziesz mówić jednakowo.

Mówić i „piać"

Rozwijanie się mutacji trwa pewien czas – równolegle
z powiększaniem mięśni krtani. Podczas mówienia wymykają
się one czasem spod kontroli. W środku zdania zapiejesz
nagle jak kogut, wymawiając jeden lub dwa wyrazy –
częściej, gdy jesteś podekscytowany. Bywa to nieco
krępujące, czasem zabawne i przydarza się niemal każdemu.

Czyj głos!

Po przejściu mutacji głos jest zupełnie zmieniony. Ty sam
tego nie dostrzegasz, ale ktoś, kto nie słyszał ciebie przez rok
albo dwa, nie pozna cię po głosie. Nie dziw się, kiedy
rozmówca bierze cię za twojego tatę.

Jak w przypadku innych przemian, mutacja następuje
wcześniej albo później niż u kolegów. Minie trochę czasu
zanim ostatecznie głos obniży się u wszystkich, nawet
u dziewcząt.

Rozwój owłosienia

Pojawienie się włosów w różnych miejscach ciała przyjmujesz z zaskoczeniem. Zauważysz, że włosy pojawiają się także u kolegów, ale twoje rosną albo w tym samym czasie, albo niejednocześnie w różnych miejscach. Oto, co cię czeka:

Każdy ma delikatne włoski na całym ciele, ale te nowe są grubsze i dłuższe.

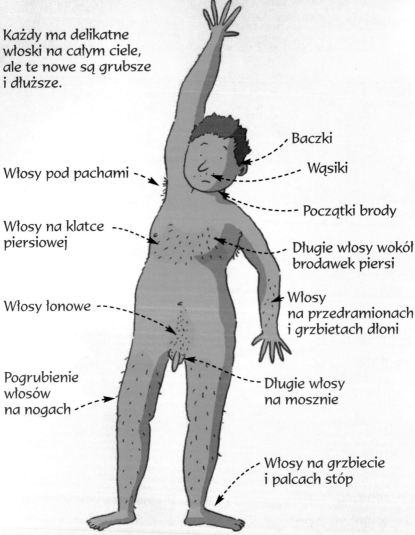

Baczki

Wąsiki

Włosy pod pachami

Początki brody

Włosy na klatce piersiowej

Długie włosy wokół brodawek piersi

Włosy łonowe

Włosy na przedramionach i grzbietach dłoni

Pogrubienie włosów na nogach

Długie włosy na mosznie

Włosy na grzbiecie i palcach stóp

Jeżeli wygolisz włosy w dowolnym miejscu, odrosną po kilku dniach. Na początku będzie trochę swędzić.

I co dalej?

Po okresie dojrzewania każdy ma owłosione pachy i łono,
później klatkę piersiową i inne miejsca. U niektórych
chłopców owłosienie nie tworzy się wcale. Najpierw
pojawiają się włosy w okolicy łonowej. Pierwsze są cienkie,
rosną w małych kępkach. Po około roku grubieją, skręcają się
i trochę rozrastają ku obwodowi.

Włosy mogą rosnąć na ciele
niemal wszędzie, nawet
w miejscach ukrytych dla twoich
oczu: na barkach, plecach,
wokół pośladków, w pępku,
w nosie i uszach.

Kłopoty z włosami

Świadomy rozległości owłosienia możesz się obawiać,
że przekształcisz się w wilkołaka. Na szczęście tylko włosy
na głowie osiągną znaczną długość. W innych miejscach
pozostają krótkie. Możesz się też zamartwiać, że koledzy
chełpią się gęstymi włosami, a ty nie. Nie ma niczego
niebezpiecznego w tym, że liczba włosów jest duża
lub mała. Każdy typ ma swoich adoratorów.

Broda i owłosienie całego tułowia może się różnić barwą
od włosów na głowie. Na przykład blondyni miewają czarne
owłosienie łonowe. Jeżeli natomiast owłosienie ciała jest
bardzo jasne, może być niedostrzegalne nawet wtedy,
gdy jest obfite.

Golenie się

Po ukazaniu się zarostu na twarzy musisz go usuwać, aby nie wyglądać niechlujnie.

Jak często i czym?

U niektórych mężczyzn broda po goleniu odrasta bardzo szybko. U chłopców jednak powstawanie zarostu jest początkowo dość powolne. Wąsik jest przeważnie niewielki, nie trzeba go usuwać. Odrastające włosy przypominają szczecinkę. Po goleniu większość mężczyzn odczuwa kłucie przy dotyku. Nastolatki golą się początkowo raz na tydzień. Jeżeli nie czujesz „szczeciny", nie gol się, bo możesz spowodować ból skóry.

Golarki elektryczne są łatwe w obsłudze i nie wymagają wody. Piana, gorąca woda i nożyk jednorazowego użycia zapewnia golenie dokładniejsze.

Golarka elektryczna

Nożyk jednorazowego użycia

Golenie na mokro – rady

Zawsze używaj czystego i ostrego nożyka.
Korzystaj z następujących zaleceń:

* Korzystaj z lustra, abyś widział,
  co robisz.
* Posmaruj skórę pianką
  albo kremem do golenia.
* Przyciśnij nożyk mocno do skóry
  i pociągaj nim zgodnie
  z kierunkiem wzrastania włosów.
* Po każdym goleniu opłucz nożyk
  ciepłą wodą.
* Powtórz golenie, ale w odwrotnym
  kierunku, aby usunąć więcej
  włosów.

Po goleniu nawilż skórę kremem, aby ją zmiękczyć.
Ostrzegam – niektórzy po goleniu odczuwają pieczenie,
zwłaszcza w przypadku zacięcia się.

Zacięcia i znamiona

Na początku możesz się zaciąć, ale nie jest to bolesne.
Przemyj rankę wodą utlenioną i przyciśnij
watkę aż do zatamowania krwawienia.
Może to zająć kilka minut.
Jeżeli włoski rosną w znamieniu
na twarzy, lepiej je odcinać cienkimi
nożyczkami. Skaleczenie znamienia
może być niebezpieczne.

Jak to się zaczyna?

Zmiany związane z dojrzewaniem są spowodowane przez chemiczne pośredniki, zwane hormonami. W ustroju człowieka jest ich wiele. Każdy z nich wykonuje odmienne zadanie. Prawdopodobnie zetknąłeś się z hormonem o nazwie testosteron. Jest on najważniejszą substancją chemiczną, która m.in. pobudza dojrzewanie chłopców.

Znaczenie mózgu

Testosteron działa dopiero wtedy, kiedy mózg da właściwy sygnał ustrojowi chłopca. Którejś nocy, kiedy już jest w półśnie, jego mózg zaczyna wydzielać hormon GnRh. Dzieje się to głęboko w mózgu, w podwzgórzu.

Pod wpływem tego hormonu maleńki gruczoł pod mózgiem, przysadka, zaczyna wydzielać dwa inne hormony: luteinizujący – LH i folikulotropowy – FSH. Pojawiają się one we krwi i dają znak jądrom, o których istnieniu nie wie się aż do momentu przypadkowego, bardzo bolesnego uderzenia.

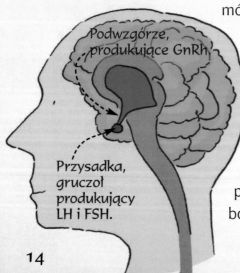

Podwzgórze, produkujące GnRh.

Przysadka, gruczoł produkujący LH i FSH.

Działanie jąder

Pod wpływem sygnału z LH i FSH jądra zaczynają
wytwarzanie własnych hormonów i plemników. Hormony
męskie są nazywane androgenami (gr. *andros* – mężczyzna).
Testosteron jest jednym z nich.

Androgeny przekazują
instrukcje innym częściom
ciała. Zawiadamiają kości,
że mają rosnąć, krtań,
że czas na mutację
i tak dalej. Obok innych
hormony te wywierają
wpływ na humory
chłopców. Wpadają
oni w depresję albo
są rozdrażnieni bez
oczywistego powodu.

Przez całe życie
testosteron będzie krążyć
we krwi. Jeżeli jądra
zostają uszkodzone

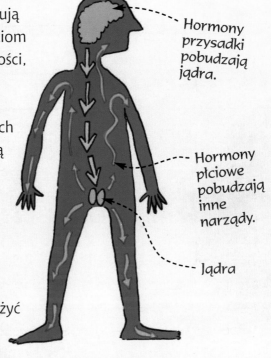

Hormony
przysadki
pobudzają
jądra.

Hormony
płciowe
pobudzają
inne
narządy.

Jądra

z powodu choroby albo urazu, wytwarzanie androgenów
maleje. Ból przypomina, abyś chronił, to co jeszcze zostało.

Chłopiec czy dziewczynka?

W organizmie dziewczynek występuje nieco testosteronu,
a chłopców trochę hormonów płciowych żeńskich. Nagły
przypływ hormonów u chłopca powoduje niewielkie
powiększenie piersi.

Po co o tym się mówi?

Dojrzewanie oznacza, że twój organizm osiągnął gotowość do współdziałania w powołaniu do życia potomka. Możesz usłyszeć, że dzieci są przynoszone przez bociany.

Powiedzmy to po prostu

Poczęcie dziecka zaczyna się w momencie, kiedy plemnik mężczyzny napotka komórkę jajową i łączy się z nią w ciele kobiety. Następuje to podczas stosunku płciowego. A oto jak do tego dochodzi.

Po pierwsze, kiedy mężczyzna i kobieta są gotowi do stosunku, zaczyna się to od gry wstępnej, a więc przytulania się i całowania. Wtedy prącie (członek) powiększa się i twardnieje. Jednocześnie kobieta wydziela śliski płyn z pochwy.

Pochwa jest przewodem, który znajduje się wewnątrz ciała kobiety z ujściem między jej nogami. Gdy pochwa jest wilgotna, wprowadzenie twardego prącia do niej jest łatwiejsze.

Sperma
(nasienie)

Prącie i pochwa trą się wzajemnie. Mężczyzna wytwarza płyn nazywany nasieniem. Przez prącie wpływa ono do pochwy. Zawiera ono miliony plemników. Jeżeli nasienie natrafi na komórkę jajową, jednemu plemnikowi udaje się wniknąć do niej. To połączenie jest początkiem poczęcia dziecka.

Jeden (jedyny) plemnik
wnika do komórki jajowej.

Płeć i uczucia

Dwoje osób nie łączy się ze sobą wyłącznie dlatego, by powołać do życia dziecko. Połączenie się jest też sposobem okazania sobie głębokiej miłości. Oboje sprawiają sobie wzajemnie wielką przyjemność. Jeżeli jednak partnerzy się nie lubią albo łączą się wbrew chęci, mogą doznać przykrości lub obrzydzenia.

Halo, to świetne! Nigdy jeszcze tego nie próbowałem.

Ja też. Ale chłopaki są zawsze be.

Nieznany dotąd pociąg

Dziewczęta mogą w tobie budzić odrazę. I przeciwnie – możesz się martwić, że nie spotkasz nigdy kogoś, kto zainteresowałby się tobą. Na szczęście, w miarę dojrzewania stajesz się bardziej atrakcyjny. W twoim umyśle też zachodzą zmiany i dlatego pociąga cię ktoś innej płci.

Kontakt płciowy bez dziecka

Zdarza się, że po zbliżeniu płciowym ma przyjść na świat dziecko, mimo że nikt go nie pragnął. Jednym ze sposobów zapobiegania temu jest używanie prezerwatywy. Jest to cienki gumowy woreczek, który zakłada się na prącie przed wprowadzeniem go do pochwy. Nasienie pozostaje w prezerwatywie i do komórki jajowej nie może dotrzeć żaden plemnik.

Prezerwatywa

Zwis...

Jedynym miejscem, gdzie jakiekolwiek zmiany zauważysz na pewno, jest krocze. Tam znajdują się narządy płciowe. Tam koncentruje się doznawanie rozkoszy i powołanie dziecka.

Przyjrzyjmy się dokładniej

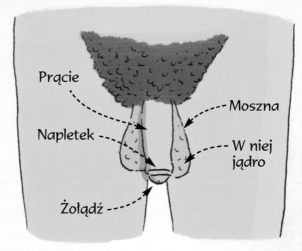

Po osiągnięciu dojrzałości będziesz miał pełne owłosienie łonowe, prącie powiększy się dwa razy, a jądra 10-krotnie. Będziesz wytwarzać masy plemników.

Lewe jądro zwisa trochę niżej niż prawe, wskutek tego nie zderzają się. Znajdują się na zewnątrz ciała – w mosznie, ponieważ wewnętrzna temperatura ciała jest za wysoka dla plemników. W zimnych dniach moszna się trochę obkurcza, przez co przesuwa się bliżej ciała, aby zapewnić plemnikom właściwą temperaturę. Kurczy się także prącie.

Czerwonawy, przypominający kształtem dzwon, znajdujący się na końcu prącia, nazywa się żołędzią. Jest ona bardzo wrażliwa, przykryta całkowicie albo częściowo napletkiem. Nie każdy jednak ma napletek (patrz str. 22).

Co się dzieje wewnątrz ciała

Dojrzałe jądra wytwarzają niewiarygodną liczbę (2000) plemników w ciągu jednej sekundy. Na każdym jądrze leży najądrze. Narząd ten zawiera długi, kręty przewód, gdzie gromadzą się plemniki. Zachowują one żywotność tylko przez kilka dni. Dlatego też liczba ich jest uzupełniana bez przerwy.

Przygotowane do wytryśnięcia plemniki wędrują nasieniowodami. Jednocześnie pęcherzyki nasienne i gruczoł krokowy produkują płyn, w którym plemniki pływają i nabierają energii. Płyn i plemniki tworzą nasienie.

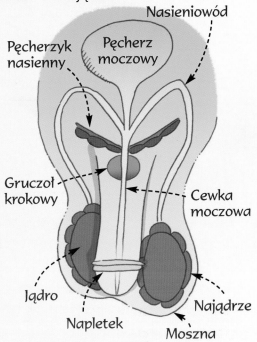

Nasieniowód

Pęcherzyk nasienny

Pęcherz moczowy

Gruczoł krokowy

Cewka moczowa

Jądro

Napletek

Najądrze

Moszna

Co się dzieje na zewnątrz

Nasienie przepływa przez cewkę moczową i wypływa przez otwór żołędzi. Akt ten, który odbywa się kilkoma gwałtownymi rzutami, jest nazywany wytryskiem. Objętość nasienia odpowiada mniej więcej łyżeczce od herbaty, ale zawiera miliony plemników. Możliwość wystąpienia wytrysku pojawia się wtedy, kiedy mężczyzna produkuje nasienie.

Cewka moczowa jest przewodem, którym oddajemy mocz. Nie bój się. Na początku cewki znajduje się zastawka sprawiająca, że nasienie i mocz nie wypływają jednocześnie.

... a teraz wzwód

Jesteś przyzwyczajony, że twoje prącie zwisa. Czasem jednak twardnieje, unosi się i wystaje do przodu. Jest to wzwód, czyli erekcja. Wzwód jest warunkiem wytryśnięcia nasienia.

Niektórzy chłopcy mają wzwody bardzo wcześnie. W okresie dojrzewania u większości z nich występują one codziennie.

Jak to się dzieje?

Do prącia stale dopływa krew i odpływa z niego. Jest i tak, że dopływ jest większy, a odpływ mniejszy. Nadmiar krwi wypełnia gąbczaste ciała jamiste jądra, wskutek czego prącie powiększa się i sztywnieje. Czujesz to. Po pewnym czasie powraca większy odpływ krwi, obkurczają się mięśnie ciał jamistych i prącie wiotczeje.

Prawdopodobnie miewasz wzwody, kiedy myślisz o dziewczynach, zwłaszcza o tej jednej, szczególnie powabnej. Często jednak wzwód następuje bez powodu, kiedy go wcale nie chcesz. Jest to wynik tego, że ciało i mózg przystosowują się do występowania i działania nowych hormonów.

Pozbądź się tego!

Młodym chłopcom, którzy bardzo łatwo się podniecają, prącie potrafi często płatać figla, usztywniając się w najmniej pożądanych sytuacjach, na przykład na lekcji wf-u lub na basenie. Bywa to krępujące, ponieważ czasem ktoś powie ci, że coś widać. Byłoby to mniej widoczne, gdybyś nosił slipy, a nie bokserki. Wzwody zwykle ustępują po kilku minutach, a zwłaszcza wtedy, kiedy starasz się nie myśleć o nich i skupisz się na czymkolwiek innym. Jest to oczywiście łatwiejsze dla doradcy niż wykonawcy.

Płyny w ciele

Kiedy po raz pierwszy nastąpi wytrysk nasienia, odkrywasz, że jest to przyjemne doznanie. Niektórzy chłopcy budzą się w nocy i dowiadują się, że mieli „mokry sen". Może to być spowodowane na przykład miłym snem odnoszącym się do płci odmiennej, ale niekoniecznie. Często wywoływane jest też przez ucisk piżamy lub przepełniony pęcherz moczowy. Nasienie jest mokre i zostawia plamę na pidżamie albo koszuli. Jest ona łatwa do wyprania. Nie wszyscy chłopcy miewają „mokre sny".

Chłopcy są różni

W przebieralni prawdopodobnie zobaczysz prącie innych kolegów. Nie przejmij się tym. Każdemu się zdarza, że czasem popatrzy na innych. Dość szybko się zorientujesz, że prącie nie jest identyczne u wszystkich.

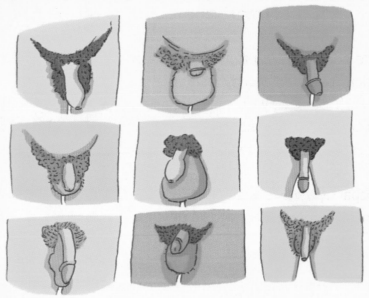

Niepotrzebne zakrycie

Po urodzeniu się chłopiec ma skórny napletek zakrywający całkowicie całą żołądź prącia albo pewien jej fragment. W niektórych krajach i religiach napletek jest usuwany zwykle w kilka dni po urodzeniu. Zabieg ten nazywa się obrzezaniem. Z napletkiem lub bez niego prącie zawsze pracuje jednakowo.

Chłopcy nieobrzezani obserwują, że napletek cofa się podczas wzwodu, odkrywając żołądź. Jeżeli masz dość mocny napletek, nie możesz odkryć żołędzi. Kiedy podrośniesz, napletek rozluźni się sam.

Prącie się powiększa

Niemal wszyscy chłopcy, zwłaszcza nastolatki, niepokoją się rozmiarem prącia. Zwisające prącie zmienia się bez przerwy i może stawać się bardzo małe pod wpływem zimna. Natomiast podczas wzwodu zachowuje swoją wielkość przez cały czas.

Nie ma sposobu na wydłużenie prącia. Chłopcy często się tym trapią, a przecież nie ma to żadnego znaczenia. Roztrząsanie i rozpamiętywanie szczegółów własnej budowy anatomicznej stanowi źródło niejednego kompleksu.

Skrzywienia

Możesz zauważyć, że podczas wzwodu prącie ulega nieznacznemu skrzywieniu w górę, w lewo lub prawo. Jest to normalne i nie stanowi żadnego powodu do niepokoju.

Guzki i pieprzyki

Przyglądając się z bliska, dojrzysz drobne guzki albo plamki na prąciu i mosznie. Są one bardzo częste i nie potrzeba się tym martwić. Jeżeli jednak powiększają się albo swędzą, poradź się lekarza.

Nastroje i odczucia

W okresie dojrzewania twoje nastroje są niekiedy zmienne. Zmagasz się ze zmieniającym się organizmem, masą hormonów, nowymi emocjami, a też pierwszym poczuciem odpowiedzialności jako młody dorosły. Orientujesz się, że niemal każdy rówieśnik odczuwa, iż ten okres życia jest trudny, chociaż wielu z nich to ukrywa.

Przyjaciele

Niełatwo zdobywa się przyjaciół. Można być nieśmiałym. Nawiązanie kontaktu z kimś pożądanym zabiera trochę czasu. Jeżeli jesteś uprzejmy dla innych, oni zwykle odpłacają tym samym. Wielu ludzi lubi należeć do określonej grupy, pozyskiwanie przyjaciół ubarwia życie. Nigdy jednak nie zmuszaj się do robienia czegoś, co cię odstręcza.

Rodzice

W miarę wzrastania nierzadko wchodzisz w konflikt z rodzicami. Mogą oni zapominać, że już dorosłeś i nie potrafią pozostawiać twoich decyzji tobie. Kiedy jednak podejmują jakąś decyzję, najczęściej robią to, aby cię chronić, a nie dlatego, że cię nie doceniają. Chociaż może to być frustrujące, będziesz musiał znaleźć kompromis między pójściem własną drogą a zdobyciem zaufania rodziców.

To jest moje życie, a nie twoje!

Tak, ale nie próbuj żyć za wcześnie na własny rachunek!

Fantazje

W miarę jak stajesz się starszy, zaczyna się zainteresowanie dziewczyn tobą. W wyobraźni chciałbyś je głaskać albo całować lub po prostu być w ich pobliżu. Nazywa się to fantazjowaniem i nawiedza chłopców i dziewczyny. Fantazjowanie o kimś jest bezpieczną i naturalną drogą zaspokajania emocji. Nie przejmuj się, że fantazje mogą być nieraz dziwaczne.

Na tym etapie młodzi ludzie chcą się spotykać ze sobą i całować. Nie ulegaj jednak pewnemu naciskowi otoczenia w tej sprawie, dopóki sam nie poczujesz się przygotowany.

Większa siła, ale i odpowiedzialność

Po zakończeniu dojrzewania będziesz zdolny do podjęcia rzeczy, których nie mogłeś robić dawniej. Nabierasz nowych sił, ale to co będziesz robił, zobowiązuje do wielkiej odpowiedzialności.

Ciąża

Ciąża jest następstwem zbliżenia płciowego. W łonie kobiety rozwija się dziecko. Jest ono wydawane na świat po 9 miesiącach. Mężczyzna nie zachodzi w ciążę. Od chwili jednak zdolności tworzenia nasienia może on spowodować ciążę u partnerki.

Wielu chłopców czuje, że są gotowi do kontaktu płciowego. Trzeba jednak dużo czasu, aby byli rzeczywiście przygotowani również do zajęcia się dzieckiem i rodziną.

Rosnące dziecko jest nazywane płodem.

Silniejszy, wyższy, szybszy

W miarę wzrastania nabierasz siły. Jesteś zdolny do szybkiego biegu, podnosisz większe ciężary, twoje ciosy są silniejsze niż kiedyś. Jest to pobudzające, ale bywa niebezpieczne. Jeżeli np. uprawiasz boks albo zapasy, musisz być bardziej ostrożny, aby nie skrzywdzić kogoś lub nie uszkodzić jakiegoś przedmiotu.

Chciałbym być takim, jak ty

Bardzo ważną rolę w okresie dojrzewania odgrywają wzorce do naśladowania. Ktoś ci imponuje – starszy brat, kolega ze szkoły, ktoś sławny. Nie udaje ci się jednak dorównać im albo upodobnić się do nich.
Nie ma dwóch identycznych ludzi.
   Nie zmuszaj się do osiągania czegoś, co mają inni, a czego ty nie masz. Niech cię nie dziwi, że zaczynasz się interesować innymi sprawami niż koledzy.

Umysł

Większość problemów okresu dojrzewania, omawianych w tej książce, dotyczy twojego ciała. Nie zapominaj jednak, że twój umysł też się zmienia podobnie jak ciało, chociaż nie w tym samym stopniu.
   Mózg musi przystosować się do zmienionego już ciała, np. kiedy uprawiasz sporty albo śpiewasz. Hormony głównie wpływają na czynność mózgu i może się zdarzyć, że będziesz miał kłopoty z koncentracją. Więcej czasu będziesz poświęcać, myśląc o takich sprawach, jak seks, związanych z dojrzewaniem. Ważne jest tylko, abyś nie był pochłonięty marzeniami tak dalece, że przestaniesz zwracać uwagę na swoją rodzinę, kolegów i naukę.

Świetne jedzenie

Uwierz albo nie, ale na przyspieszenie albo spowolnienie wzrostu wpływa właściwe jedzenie. Pokarm jest paliwem wzrostu, a bez właściwego odżywiania się nie można zachować zdrowia. Zrównoważona dieta dostarcza energii i pomaga zwalczyć choroby.

Pokarmy

Trzeba jadać wiele różnorodnych pokarmów, aby otrzymać wszystkie niezbędne składniki odżywcze. Dietetycy dzielą je na 5 grup.

1. **Chleb, ziemniaki, ryż, makarony, pierogi, produkty zbożowe**
   Zawierają one węglowodany (skrobia) – trzeba jeść ich dużo, aby mieć energię.

2. **Owoce i warzywa (świeże, mrożone albo w puszkach)**
   Jedz je co najmniej 5 razy dziennie. Zawierają one podstawowe witaminy i sole mineralne, a także błonnik, chroniący przed chorobami (ziemniaki nie są zaliczane do tej grupy, natomiast fasola i soczewica – tak).

3. **Mięso, ryby, jaja, orzechy, fasola, groch, soczewica**
   Jedz je w rozsądnych ilościach. Dostarczają one białek, potrzebnych do rośnięcia.

4. **Mleko, ser, jogurt**
   Jedz je w rozsądnej ilości. Zawierają one wapń, potrzebny kościom i zębom.

5. **Produkty zawierające tłuszcze albo/i cukier**
   Nie jedz ich za dużo. Najwięcej tłuszczu i cukru jest w bitej śmietanie, lodach i biszkoptach.

Ile?

W okresie dojrzewania potrzebujesz dużo jedzenia, a nawet więcej niż dorosły, bo przecież rośniesz bardzo szybko. Kieruj się uczuciem głodu, nie zaś wyglądem zewnętrznym. Jedz, kiedy jesteś głodny, ale nie przejadaj się, gdy poczujesz, że jesteś syty. Przybierasz na wadze, ponieważ stajesz się wyższy i bardziej muskularny, a nie dlatego, że jesz dużo tłuszczu.

Ten rysunek pokazuje proporcje produktów każdej grupy.
Jadaj najwięcej tych z grupy 1 i 2, najmniej z grupy 5.

Coś więcej
o jedzeniu
Śniadanie

Nie rezygnuj ze śniadania. Organizm zużywa energię nawet podczas spania i musisz ją uzupełnić rano. Zdrowe śniadanie usuwa uczucie osłabienia i spowolnienia, poprawia koncentrację i ułatwia pracę.

Jedzenie i zęby

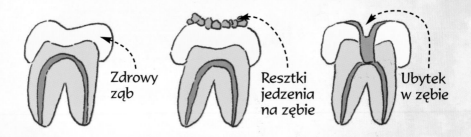

Zdrowy
ząb

Resztki
jedzenia
na zębie

Ubytek
w zębie

Zęby stałe wyrzynają się do około 13. roku życia i muszą wystarczyć do jego końca. Jeżeli resztki jedzenia pozostają na zębach, powstają w nich ubytki.

Starannie czyść zęby szczoteczką dwa razy dziennie, a bezwzględnie przed snem. Przesuwaj szczoteczkę w górę i dół, aby usunąć jedzenie pozostałe między zębami. Naucz się czyszczenia zębów. Zmieniaj szczoteczkę co 3 miesiące, staraj się odwiedzać dentystę dwa razy w roku. Pamiętaj, że słodkie pokarmy i płyny są szkodliwe dla zębów.

Zmień położenie szczoteczki, aby oczyścić tylną powierzchnię zębów.

30

Porównanie gotowego i świeżego jedzenia

Przeważnie jedzenie gotowe, przygotowywane przemysłowo jest trochę zmienione. Może w nim brakować niektórych składników odżywczych. Natomiast dodawane są substancje chemiczne konserwujące, poprawiające kolor i zapach. Niektórzy dietetycy uważają, że przetworzone pokarmy źle wpływają na zdrowie. Zalecają pokarmy tak świeże, jak tylko to możliwe.

Jedzenie spreparowane

Ma niewiele smaku albo wcale. Zwykle zawiera za dużo cukru lub soli, często jest tłuste. Przykładami są: słodkie napoje, słodycze, lizaki, zleżałe biszkopty i ciasteczka, solone frytki. Trudno jest całkowicie uniknąć pokarmów spreparowanych, ale staraj się na przekąskę jadać np. owoce.

Posiłki czy przekąski

Niektórzy jadają 3 razy dziennie, inni wolą coś niewielkiego przekąsić kilka razy. Zdrowo jest jadać niewielkie posiłki, ale częściej i regularnie. Wspólny posiłek jest zdarzeniem towarzyskim, podobnie jak wymówienie się od niego. Pomyśl, że twoja nieobecność może dotknąć rodzinę i przyjaciół, że wolisz jeść byle co sam, niż w ich gronie.

Ruszaj się

Nasz organizm jest stworzony do ruchu – nie krępuj się więc wobec innych i maszeruj, skacz, tańcz lub uprawiaj sporty. Systematycznie wykonywane ćwiczenia powodują, że łatwiej reagujesz na bodźce i jesteś mniej napięty. Wszystko to ułatwia dobry sen. Przede wszystkim jednak wysiłek fizyczny zapobiega wielu chorobom.

Ile?

Aby rozwijać sprawność i zachować ją, powinieneś być w ruchu co najmniej pół godziny dziennie (lepiej byłoby godzinę). Wydaje się, że jest to dużo, ale można tu wliczyć przejście szybkim krokiem do szkoły. Wchodzenie po schodach również jest wskazane, ale bez zmęczenia. Niemniej jednak co najmniej dwa razy w tygodniu zdobądź się na większy wysiłek, aby serce zabiło szybciej.

Nie za dużo

Mięśnie chłopców powiększają się w różnym tempie i dlatego niektórzy z nich są bardziej muskularni niż inni. Podnoszenie hantli przyczynia się do rozwinięcia się mięśni, ale tylko przy prawidłowym odżywianiu się. Nadmiar sportów siłowych może być niebezpieczny przed osiągnięciem ostatecznego wzrostu.

Niestety, nie lubię sportów

Uprawianie sportów dodaje energii. Istnieje wiele innych sposobów ćwiczeń, jeśli nie lubisz uprawiać sportu ani współzawodnictwa albo poddawania się pewnym rygorom. Jeżeli jednak masz do wyboru kilka sportów, wybierz ten, który odpowiada ci najbardziej. Musisz zorientować się, jaki jest stopień twojej wytrzymałości, siły i elastyczności (zginanie się i wyprostowywanie).

Szybki marsz

Pływanie

Tenis

Piłka nożna

Wschodnia sztuka walki

Szybki taniec

Kolarstwo

Odpoczynek i sen

Dojrzewanie jest ogromnym obciążeniem ciała i umysłu, dlatego musisz mieć czas na odpoczynek i nabranie nowych sił. Podczas snu ciało regeneruje się samo, a marzenia senne mogą ci pomóc w uczeniu się i ocenie tego, co się z tobą działo. Ośmio-, dziesięciolatki potrzebują około 10 godzin snu w nocy, a jedenasto-, piętnastolatki około 9.

Nieprzyjemne objawy

W miarę wzrastania zaczynasz się więcej pocić. Pot osoby dorosłej może być gęsty i mieć przykry zapach. Zdarza się to także, gdy jesteś zdenerwowany, a nie wyłącznie po wysiłku. Zachowanie higieny jest konieczne dla ciebie i twego otoczenia.

Pocenie się i zapach

Najlepszym sposobem pozbycia się potu i jego zapachu jest codziennie mycie się, po którym możesz użyć dezodorantu. Zabija on bakterie, wytwarzające przykry zapach. Możesz także użyć antyperspirantów. Chociaż większość dezodorantów także działa przeciw poceniu się.

Po pojawieniu się owłosienia pod pachami prawdopodobnie będziesz potrzebował dezodorantu każdego rana. Pamiętaj jednak, że nic nie zastępuje mycia!

Sztyft czy aerozol?

Większość dezodorantów jest w formie sztyftu albo w aerozolu (spryskiwanie). Obydwie postacie równie skutecznie usuwają zapach. Aerozole nie są jednak wskazane dla osób cierpiących na astmę i inne uczulenia. Niektóre ich składniki mogą niekorzystnie działać na środowisko.

Pojawia się mastka

Jeżeli masz zachowany napletek, zobaczysz, że udaje się odciągać go do tyłu coraz łatwiej w miarę przybywania lat. W końcu jest on tak luźny, że możesz odkryć całą żołądź i wtedy zobaczysz mastkę. Jest to naturalny „smar", który wszyscy wydzielają codziennie, nawet obrzezani. Mastka gromadzi się pod napletkiem jako białe złogi o przykrym zapachu. Trzeba je usuwać codziennie albo co drugi dzień. Aby tego dokonać, ściągnij napletek do tyłu i opłucz żołądź ciepłą wodą. Jeśli chcesz, możesz użyć płynu do higieny intymnej.

Higiena i zdrowie

Mycie nie tylko usuwa przykry zapach. Na skórze żyją rozmaite bakterie i jeżeli pozwolisz im się rozwijać, narażasz się na zakażenie. Bakterie żyją najlepiej w okolicach, w których jest ciepło, ciemno i które są owłosione. Znajdują się na pewno pod pachami, między pośladkami, na narządach płciowych i włosach.

Bakterie znajdują się na ubraniu i skórze. Nawet gdybyś skorzystał z natrysku, ale potem włożył brudne i przepocone ubranie, będziesz roztaczał przykry zapach. Wskazana jest codzienna zmiana bielizny.

Powyżej szyi

W okresie dojrzewania u niemal każdego nastolatka pojawia się na twarzy trądzik. Może być także na plecach lub innych częściach ciała. Próba pozbycia się go lub zakrycia jest zmorą. Na pocieszenie dowiedz się, że na tę dolegliwość cierpisz nie tylko ty.

Zbyt duże wydzielanie łoju

Skóra wydziela szczególny rodzaj tłuszczu, nazywanego łojem. Bez niego skóra i włosy byłyby suche. Zwiększona aktywność hormonów (w tym testosteronu) w okresie pokwitania powoduje, że łoju wydziela się więcej. Pojawia się wtedy trądzik. Przetłuszczają się również włosy. U niektórych osób są tak tłuste, że trzeba je myć codziennie.

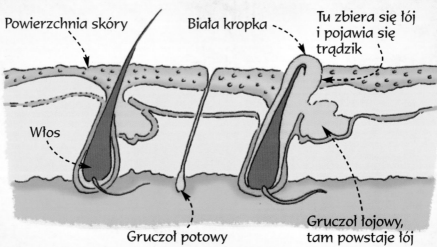

Powierzchnia skóry

Biała kropka

Tu zbiera się łój i pojawia się trądzik

Włos

Gruczoł potowy

Gruczoł łojowy, tam powstaje łój

Postępowanie z trądzikiem

Istnieją różne środki przeciw trądzikowi. Najważniejsze jest, abyś trafił na odpowiedni dla siebie.

Należy przemywać twarz dwa razy dziennie z użyciem łagodnego mydła, niepachnącego lub antyseptycznego. Namydlaj twarz rękami i płucz ciepłą wodą.

Dbaj o czyste ręce i paznokcie, nie rozdłubuj krost trądzikowych.

Spróbuj jednego ze środków zalecanych przez firmy farmaceutyczne.

Jeżeli trądzik jest rzeczywiście nasilony, nie rób nic samemu. Zwróć się o poradę do dermatologa.

Jadaj zdrowo. Wiele osób twierdzi, że trądzik powodują niektóre pokarmy. Nie znaleziono dotąd żadnego dowodu na potwierdzenie tej teorii.

Trudno nie martwić się o swój wygląd, ale pamiętaj, że inni ludzie interesują się tobą, a nie twoją twarzą.

Wyciskanie

Lekarze odradzają wyciskania trądziku samemu. Jeżeli mimo to chcesz to robić, zastosuj się do kilku zaleceń:

* Najpierw umyj ręce.
* Wyciskaj palcami, a nie paznokciami.
* Wyciskaj plamki czarne lub białe, nigdy czerwone czy zaognione.
* Przerwij wyciskanie, jeżeli nie ma efektu, albo wypływa osocze lub krew.
* Potem przetrzyj środkiem dezynfekującym.
* Umyj ręce po raz drugi.

Dziewczęta

Możesz zainteresować się dziewczętami już dziś albo jakiegoś innego dnia. Podobnie jak wam, także im zmieniają się kształty i tak jak wy one również rosną.

Co się z nimi dzieje?

Lista zmian, powstających u dziewcząt podczas dojrzewania, jest długa. Niektóre z tych zmian pojawiają się też u chłopców.

- Dziewczęta są wyższe i cięższe.
- Powiększają się piersi.
- Poszerzają się biodra.
- Wydłuża się twarz.
- Trochę obniża się głos.
- Pojawiają się włosy na wzgórku łonowym i pod pachami.
- Dziewczęta bardziej się pocą.
- Ich skóra i włosy są bardziej przetłuszczone.
- Rozwijają się narządy płciowe zewnętrzne.
- Pojawiają się krwawienia miesiączkowe.

Działają hormony

Dziewczynki zaczynają dojrzewać podobnie jak chłopcy, tzn. wtedy, gdy wydzielane są odpowiednie hormony. Różnica polega na tym, że one mają jajniki, a chłopcy jądra. Jajniki wytwarzają komórki jajowe i hormony żeńskie. Hormony te zaczynają przekształcanie dziecka w kobietę analogicznie do działania testosteronu u chłopców.

Przeważnie dziewczynki zaczynają dojrzewać o kilka miesięcy wcześniej niż chłopcy. Przez pewien czas są one wyższe od chłopców w tym samym wieku, ale i wcześniej przestają rosnąć. Zmiany zachodzące w ustroju dziewcząt przygotowują je do rodzenia dzieci. W tym czasie stają się one atrakcyjne dla chłopców, którzy także są pociągający dla nich.

Tak wyglądają dziewczęta bez ubrania.

Dziewczynki w środku...

Niektóre bardzo istotne zmiany, dotyczące dziewczynki następują głęboko w jej ciele. Większość jej narządów płciowych jest bezpiecznie ukryta w jamie brzusznej. Tam też rozwija się przyszłe dziecko.

Narządy płciowe mieszczą się nisko w jamie brzusznej.

Co tam się znajduje?

Dziewczynka ma dwa jajniki, dwa jajowody, macicę i pochwę; powiększają się one proporcjonalnie wraz z całym ciałem.

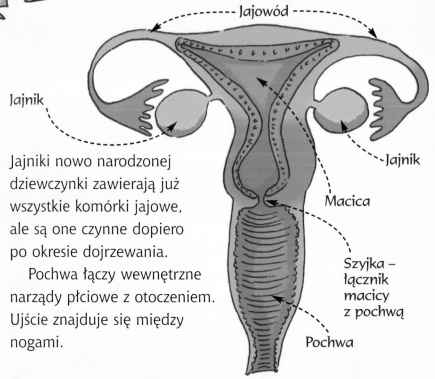

Jajowód

Jajnik

Jajnik

Macica

Szyjka – łącznik macicy z pochwą

Pochwa

Jajniki nowo narodzonej dziewczynki zawierają już wszystkie komórki jajowe, ale są one czynne dopiero po okresie dojrzewania.

Pochwa łączy wewnętrzne narządy płciowe z otoczeniem. Ujście znajduje się między nogami.

Cykl miesiączkowy

Raz na miesiąc jedna komórka jajowa jest wydalana przez jeden z jajników do najbliższego jajowodu. Przedtem wyściółka jamy macicy, czyli błona śluzowa, grubieje i staje się bardziej rozpulchniona. Jeżeli komórka jajowa połączy się z plemnikiem w jajowodzie, następuje zapłodnienie. Zapłodniona komórka, czyli zarodek, zagnieżdża się w błonie śluzowej macicy i przez 9 miesięcy rozwija się z niego dziecko.

Komórka jajowa, która nie została zapłodniona przez plemnik, pęka. Po 14 dniach od tego momentu przepojona krwią błona śluzowa jest powoli wydalana przez pochwę na zewnątrz. Pojawia się krwawienie miesiączkowe, czyli miesiączka (okres, period). U kobiety niebędącej w ciąży występuje co 4 tygodnie.

Postępowanie podczas miesiączki

Tampon

Krwawienie miesiączkowe może trwać nawet 7 dni, ale utrata krwi to tylko objętość 2–4 łyżek stołowych. Aby nie pobrudzić bielizny, używa się tamponu lub podpaski. Trzeba je zmieniać co kilka godzin.

Podpaska

Miesiączki są objawem fizjologicznym, przez dzień lub dwa można jednak odczuwać ból w dole brzucha. Dziewczęta przyzwyczajają się do regularnego krwawienia. Działanie hormonów przed miesiączką może spowodować pogorszenie nastroju, depresję, przykre samopoczucie. Zjawisko to jest nazywane zespołem napięcia przedmiesiączkowego. Nie pojawia się ono jednak u każdej kobiety.

... i na zewnątrz

Narządy płciowe żeńskie wewnętrzne są dość złożone. Podobnie jak narządy płciowe męskie, powiększają się w czasie dojrzewania. Są bardzo wrażliwe. Srom to ich właściwa nazwa.

Srom

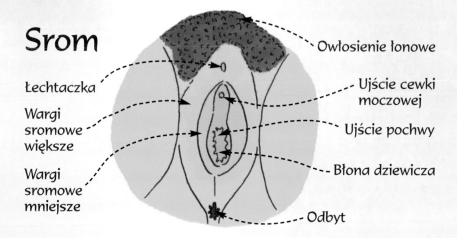

Łechtaczka

Wargi sromowe większe

Wargi sromowe mniejsze

Owłosienie łonowe

Ujście cewki moczowej

Ujście pochwy

Błona dziewicza

Odbyt

Srom jest przykryty przez dwa grube fałdy skórne, czyli wargi sromowe większe. Dwa fałdy znajdujące się głębiej – to wargi sromowe mniejsze. W okresie dojrzewania na wzgórku łonowym pojawiają się włosy.

Tam gdzie stykają się dwie wargi mniejsze, znajduje się gruszkowaty guzek – łechtaczka. W okresie rozwojowym każdy płód ma taki guzek. U płodu męskiego przekształca się on w prącie. Łechtaczka i prącie są bardzo wrażliwe na dotyk.

Ujście pochwy jest rozciągliwe. Tampon wchodzi w głąb bez trudu. Łatwo wchodzi tam również prącie podczas aktu płciowego. U ujścia pochwy mieści się cienki fałdzik skóry – błona dziewicza.

W pobliżu

Mały otworek, przez który wypływa mocz, znajduje się poza łechtaczką. Nie należy on do sromu, bo nie ma nic wspólnego z układem płciowym.

Odbyt, przez który wydalany jest kał, też nie należy do sromu, ale znajduje się blisko niego.

Piersi i biustonosze

Często pierwszą zmianą, dostrzeganą przez chłopców u dziewczynek, są piersi. Wytwarzane jest w nich mleko potrzebne dla niemowlęcia (mleko wypływa przez brodawki sutkowe). Piersi są wrażliwe na dotyk.

Piersi się poruszają, gdy dziewczyna chodzi; bywają dość ciężkie. Aby je unieść, większość kobiet nosi biustonosz. Biustonosze mają różny kształt i rozmiar, aby można było je dopasowywać do typu i wyglądu piersi. Określa się je liczbami i literami. Liczba oznacza obwód klatki piersiowej, litery – rozmiar samych miseczek.

Codzienne problemy dziewcząt

Dziewczęta – podobnie jak chłopcy – są zaniepokojone zmianami, zachodzącymi w ich ciele. Mają identyczne kłopoty.

Golenie

Dziewczynki nie muszą golić twarzy, ale podobnie jak chłopcy usuwają owłosienie w innych miejscach ciała – pod pachami i na nogach. Jest to znacznie łatwiejsze niż golenie twarzy. Niektóre dziewczęta przycinają włosy łonowe, aby nie wychodziły z kostiumów kąpielowych. Zamiast golenia nóg używają jednak przede wszystkim depilujących kremów albo wosków.

Lepka wydzielina

U starszych dziewcząt pochwa wydziela nieco śluzu. Nie świadczy to jednak o jakiejkolwiek chorobie. Śluz ten oczyszcza i osłania śluzówkę. Nie jest to miłe, ale można się do tego przyzwyczaić.

Dziewczęta – podobnie jak chłopcy – mają marzenia senne.

Wygląd

Nawet jeszcze przed okresem dojrzewania dziewczęta starają się o swój wygląd zewnętrzny, szczególnie na uroczystych spotkaniach. Martwią się, że są otyłe albo że mają za duże lub za małe piersi. Czasem te obawy mogą być przyczyną depresji lub głodzenia się. Chłopcy też dbają o swój wygląd, ale zwykle w mniejszym stopniu niż dziewczęta.

W szkole i w domu

Wydaje się, że dziewczęta łatwiej zawierają przyjaźnie z koleżankami niż chłopcy z kolegami. Oni zaś lepiej niż dziewczęta nawiązują kontakt z osobami dorosłymi. Dziewczęta wcześniej niż chłopcy dojrzewają umysłowo i fizycznie. Nie znaczy to jednak, że ich życie jest łatwiejsze. Są nieśmiałe, zwłaszcza wobec chłopców, co nie przeszkadza, że podobnie jak oni wyszydzają swoje koleżanki lub ignorują je, a nawet mogą być wobec nich agresywne.

Rodzice są bardziej surowi wobec córek pewnie dlatego, żeby je chronić, a nawet aby nie zaszły w ciążę. Rzadziej więc pozwalają im na wychodzenie z domu. Wymagają wcześniejszego niż od chłopców powrotu.

Pokusy życia

Gdy będziesz starszy, możesz znaleźć się w kłopotliwych sytuacjach. Oto możliwe przykłady.

Narkotyki

Niebezpiecznymi używkami są: alkohol, nikotyna w papierosach, a też i takie, których zakazuje prawo, np. haszysz z konopi indyjskich, kokaina, ecstasy, LSD – już w najmniejszej dawce – i heroina. Niszczą one ciało i duszę. Nie naśladuj kogoś, kto je już zażywa. Zapamiętaj, że różni ludzie reagują na ten sam narkotyk zupełnie odmiennie. Niektóre środki w postaci przylepca, słabego gazu lub aerozolu mogą zabijać już przy pierwszym kontakcie. Bardzo łatwo jest uzależnić się od narkotyków, ale bardzo trudno się odzwyczaić.

* Większość palaczy palących dużo i przez wiele lat wskutek tego wcześniej umiera.

* Ludzie, zażywający haszysz, często wpadają w depresję.

* Podczas ciąży picie nawet lekkich alkoholi hamuje rozwój mózgu dziecka.

Wyszydzanie

Jeżeli koledzy szydzą z ciebie, nie cierp samotnie. Powiedz o tym osobie dorosłej, której ufasz. Może ona potrafi ci pomóc albo poradzić, co masz robić. A może wskaże sposób, aby cię nie nękano. I pamiętaj, że to dokuczanie ci nie jest twoją winą. Nikt nie zasługuje na szyderstwa.

Bezpieczny seks

Bezpieczny kontakt płciowy nie oznacza jedynie korzystania ze środków, zapobiegających ciąży. Jeżeli jeden partner cierpi na zakażenie narządów płciowych, również drugi może się zarazić. Liczne zakażenia przekazywane drogą płciową poddają się leczeniu jedynie wtedy, gdy rozpoczęto je jak najwcześniej. Niestety, istnieją zakażenia bardzo groźne, nawet śmiertelne. Na przykład wirusem HIV, który wywołuje u człowieka chorobę AIDS – zespół nabytego obniżonego upośledzenia odporności. Dotąd nie znaleziono na nią lekarstwa. Wirus niszczy krwinki białe i dlatego człowiek nie może się bronić przed pospolitymi zakażeniami, niegroźnymi dla osób zdrowych. Używanie prezerwatywy zapobiega często zakażeniom, nawet HIV, ale nie gwarantuje jednak bezpieczeństwa we wszystkich przypadkach.

Prawo do odmowy

Czasem ludzie – głównie dorośli – próbują przekonywać albo zmuszać dzieci do robienia rzeczy dla nich niewskazanych lub wręcz zakazanych przez prawo. W grę wchodzi propozycja zażycia narkotyku albo zachęcanie do kontaktów płciowych.

Dorosły mężczyzna, który zmusza do kontaktu dziecko, jest pedofilem. Ludzie tacy działają podstępnie, przedstawiają się często przez internet jako rówieśnicy, w nadziei, że zachęcą dziecko do spotkania ze sobą. Bądź bardzo ostrożny w nawiązywaniu takich „przyjaźni".

CO MASZ DZISIAJ NA SOBIE?

Indeks

Tytuł oryginału: What's happening to me?

Z języka angielskiego przełożył: **prof. dr Stefan Kruś**
Redaktor: Barbara Andrzejewska
Korekta: Barbara Zamorska-Wieliczko

Copyright © Usborne Publishing Ltd.,
© for the Polish edition by Oficyna Wydawnicza Delta W-Z, Warszawa, tel./fax 022 858 24 18

ISBN 978-83-7175-652-8

Skład i łamanie: NKL, Warszawa
Druk i oprawa: Białostockie Zakłady Graficzne S.A., Białystok